T5-ARM-362

modern & emerging tendencies

Edición

Fernando de Haro • Omar Fuentes

actualidad y vanguardia

AUTORES . AUTHORS
Fernando de Haro & Omar Fuentes

DISEÑO Y PRODUCCIÓN EDITORIAL . EDITORIAL DESIGN & PRODUCTION

DIRECCIÓN DEL PROYECTO . PROJECT MANAGERS
Valeria Degregorio Vega
Tzacil Cervantes Ortega

COORDINACIÓN . COORDINATION
Edali Nuñez Daniel
Mariana Trujillo Martínez

CORRECCIÓN DE ESTILO . COPY EDITOR
Abraham Orozco González

TRADUCCIÓN . TRANSLATION
Mexidiom Traducciones

Interiores Mexicanos "Actualidad y Vanguardia"
Interiors "Modern and Emerging Tendencies"

AM Editores S.A. de C.V.
Paseo de Tamarindos 400 B, suite 102, Col. Bosques de las Lomas,
C.P. 05120, México, D.F. Tel. 52(55) 5258 0279, Fax. 52(55) 5258 0556.
E-mail: ame@ameditores.com www.ameditores.com

ISBN Español 970-9726-16-1
ISBN Inglés 970-9726-17-X

Impreso en Hong Kong / *Printed in Hong Kong.*

P.P. 4 Y 5
FERNANDO DE HARO LEBRIJA
JESÚS FERNÁNDEZ SOTO
OMAR FUENTES ELIZONDO

FOTÓGRAFO . PHOTOGRAPHER
Héctor Velasco Facio

P. 6
FERNANDO DE HARO LEBRIJA
JESÚS FERNÁNDEZ SOTO
OMAR FUENTES ELIZONDO
GINA PARLANGE PIZARRO

FOTÓGRAFO . PHOTOGRAPHER
Alfonso de Bejar

P. 8
ALEJANDRO BERNARDI GALLO
BEATRIZ PESCHARD MIJARES

FOTÓGRAFO . PHOTOGRAPHER
Héctor Velasco Facio

P. 9
DAVID PENJOS SMEKE

FOTÓGRAFO . PHOTOGRAPHER
Maayan Jinich

P. 12
MARIANGEL ÁLVAREZ COGHLAN
COVADONGA HERNÁNDEZ GARCÍA

FOTÓGRAFO . PHOTOGRAPHER
Héctor Velasco Facio

JAVIER VALENZUELA GOROZPE
FERNANDO VALENZUELA GOROZPE
GUILLERMO VALENZUELA GOROZPE
FRANCISCO GUZMÁN GIRAUD

FOTÓGRAFO . PHOTOGRAPHER
Héctor Velasco Facio

C O N T E N I D O

C O N T E N T S

I N T R O D U C C I Ó N

Pocas cosas reciben tanta atención en la vida como los espacios donde vivimos y trabajamos; es decir, donde pasamos gran parte de nuestra vida. Y no es para menos, hablar de estos espacios es hablar de lugares sublimes, quizá sagrados que, en una pequeña palabra, son sinónimo de felicidad, pues los momentos más sencillos y por lo tanto los mejores de la vida suceden ahí.

Por estas razones, para los diseñadores innovar, crear, renovar, concebir espacios es como trabajar con sueños; es un desafío seductor usar toda la creatividad para lograr ambientes armónicos que hablen por sí mismos y sean reflejo de la pasión que sienten por el diseño de interiores. Estos pequeños detalles son los que hacen, de cada uno de los proyectos, algo distinto y único.

A través de estas páginas veremos cómo la arquitectura interior, mobiliario, materiales, acabados, accesorios, notas cálidas y humanas unidas a la simplicidad, son intenciones que se concretan para lograr espacios acogedores que invitan a disfrutar, a gozar un estilo de vida atemporal e interesante, al gusto de cada cliente.

La presencia de espacios que enamoran de inmediato, junto con otros que prefieren ir seduciendo poco a poco hasta encantar por completo, hacen de este libro una pieza gráfica digna del conocedor más exigente, un testimonio de tendencias e inspiraciones de los más reconocidos profesionales en el área, y finalmente una fuente de inspiración y ejemplo de la calidad que nuestro diseño de interiores ha alcanzado en el orden internacional.

DISEÑO DE MOBILIARIO

EZEQUIEL FARCA

INTRODUCTION

Few things in life receive as much attention as the spaces where we live and work, that is, where we spend most of our lives. And this is not without reason; to talk about these spaces is to talk about sublime, perhaps sacred, places, that, in a word, are synonymous with happiness, because the simplest, and thus the best, moments in life occur within them.

For these reasons, for designers, innovating , creating, improving and conceiving spaces is like working with dreams; using all of their creativity to attain harmonious atmospheres that speak for them and reflect their passion for interior design is a seductive challenge. It is these small details that make each project something different and unique.

Throughout these pages we will see how interior architecture, furniture, materials, finishes, accessories, and warm and humane strokes, combined with simplicity, are intentions that materialize in comfortable spaces that invite enjoyment, reveling in a timeless and interesting lifestyle to match the taste of each client.

The presence of spaces that instantly captivate you, along with others that instead seduce you little by little until they completely charm you, makes this book a graphic piece worthy of the most demanding connoisseur; a testimony to trends and inspiration from the most renowned professionals in the field and, finally, a source of inspiration and an example of the quality that our interior design has reached in the international arena.

DISEÑO DE MOBILIARIO

EZEQUIEL FARCA

La forma arquitectónica y los diferentes elementos que la componen como muros, plafones y fuentes de luz natural, constituyen el marco donde la madera, el mármol, las piedras naturales y el concreto matizan el espacio y aportan su carácter y su personalidad. La iluminación artificial, el mobiliario y las obras de arte, complementan el mensaje visual donde el usuario disfruta cotidianamente de una grata experiencia estética.

Tonalidades claras en los muros y plafones, maderas de tonos oscuros en lambrines, puertas y muebles, dan al espacio un toque contemporáneo. La iluminación, con sus diferentes opciones, crea ambientes muy distintos de acuerdo con la intensidad y el tipo de luminaria. Los tonos claros y los tejidos naturales irradian calidez en el ambiente.

The architectural shape and the different elements that make it up, such as walls, ceilings and natural light sources are a frame where wood, marble, natural stones and concrete give accents to the space and contribute their own character and personality. Artificial lighting, furniture and works of art complement the visual landscape where the user enjoys a pleasant aesthetic experience on a daily basis.

The clear tones in the walls and ceilings and dark woods for the panels, doors and furniture give the space a contemporary touch. The lighting, with its many options, creates very different atmospheres based on the intensity and the type of fixtures used. The clear tones and the natural weavings radiate warmth into the atmosphere.

ALEJANDRO BERNARDI GALLO
BEATRIZ PESCHARD PIZARRO

FOTÓGRAFO . PHOTOGRAPHER
Héctor Velasco Facio

EZEQUIEL FARCA

FOTÓGRAFO . PHOTOGRAPHER

Paul Czitrom

Espacios íntimos de gran calidez debidos al discreto acento de color en los muros y el uso de materiales simples y ligeros. Rincones donde el ser humano puede desenvolverse en conexión con su entorno de manera natural, sin que por ello tenga que prescindir de las formas estéticas y los contrastes forman escenarios matizados por la luz solar.

Líneas rectas que acentúan la belleza de la planta arquitectónica, diseño interior de líneas claras y nítidas que transcurre a lo largo del espacio y forma un todo donde el hombre puede convivir y soñar, remates visuales donde las formas simples y las texturas cálidas crean un conjunto elegante y sin mayores pretensiones.

Intimate spaces with great warmth due to the discreet color accent on the walls and the use of simple and light materials. Corners where the human being may develop harmoniously with his environs in a natural way, without having to eliminate the aesthetic shapes and the contrasts that create sceneries tinged by sunlight.

Straight lines that highlight the beauty of the architectural body, interior design with clear and sharp lines throughout space form a whole where people can mingle and dream, visual strokes where the simple shapes and the warm textures create an elegant and unpretentious unit.

P. 15
FERNANDO DE HARO LEBRIJA
JESÚS FERNÁNDEZ SOTO
OMAR FUENTES ELIZONDO

FOTÓGRAFO . PHOTOGRAPHER
Héctor Velasco Facio

P.P. 16 - 17
ALEJANDRO BERNARDI GALLO
BEATRIZ PESCHARD MIJARES

FOTÓGRAFO . PHOTOGRAPHER
Héctor Velasco Facio

P. 18
EMILIO CABRERO HIGAREDA
ANDREA CESARMAN KOLTENIUK
MARCO A. COELLO BUCK

FOTÓGRAFO . PHOTOGRAPHER
Mauricio Avramow

P. 23
ALFONSO LÓPEZ BAZ
JAVIER CALLEJA J.
EDUARDO HERNÁNDEZ

FOTÓGRAFO . PHOTOGRAPHER
Sebastián Saldívar

P.P. 24 - 25
ANGEL ALONSO CHEIN
EDUARDO GUTIÉRREZ GUZMÁN

FOTÓGRAFO . PHOTOGRAPHER
Alberto Moreno

ANGEL ALONSO CHEIN
EDUARDO GUTIÉRREZ GUZMÁN

GUTIÉRREZ Y ALONSO ARQUITECTOS

Gutiérrez y Alonso Arquitectos, fundada en 1992, se ha especializado en ofrecer soluciones arquitectónicas a los más diversos requerimientos: espacios habitacionales y comerciales, oficinas, plantas y operaciones industriales, así como proyectos de remodelación. Habitabilidad y belleza, armonía y funcionalidad, caracterizan sus proyectos, elaborados a partir de un diagrama de funcionamiento en el que se consideran las múltiples alternativas plásticas que todo espacio puede ofrecer. Atenta siempre a un análisis cultural particular, su obra se mantiene en la búsqueda de nuevas expresiones e identidades de la arquitectura mexicana contemporánea, en su diversidad y riqueza.

Gutiérrez y Alonso Arquitectos, *founded in 1992, has specialized in offering architectural solutions to the most diverse requirements: residential and commercial spaces, offices, industrial plants and premises, as well as remodeling projects.*

Habitability, beauty, harmony and functionality characterize their projects, developed from a usability diagram in which the many plastic alternatives every space can offer are considered. Their work is always aware of a particular cultural analysis, and keeps seeking new expressions and identities of Mexican contemporary architecture, in all its diversity and richness.

DEPARTAMENTO LOMAS COUNTRY CLUB
México, D.F.

FOTÓGRAFO . PHOTOGRAPHER
Alberto Moreno

Una serie de paneles translúcidos y móviles permiten transformar este espacio público que, protagonizado por una escultura de prismas luminosos y un esbelto muro, se contiene en una secuencia de planos de diversos materiales, desde placas de mármol hasta ligeras celosías y lambrines de madera o piel, que envuelven y cautivan al espectador.

A series of translucent and mobile leather panels allow this public space to be transformed and, with luminous sculptures of prisms and a narrow wall as protagonists, it contains a sequence of planes in different materials, from marble slabs to light lattices and wood or leather panellings that draw in and captivate the spectator.

DEPARTAMENTO CLUB DE GOLF BOSQUES
México, D.F.

FOTÓGRAFO . PHOTOGRAPHER
Alberto Moreno

Para gozar del panorama de la ciudad de México se creó este espacio abierto y continuo; tres prismas pétreos y un plano-relieve de vidrio, contenidos por una envolvente de madera oscura, organizan el espacio público. La riqueza de texturas, temperaturas y opacidades de los diferentes materiales, provoca diversas experiencias en un mismo espacio.

This open and continuous space was created for enjoying the view of Mexico City; three stone prisms and a relief in glass, encircled by dark wood, organize the public space. The richness of the textures, temperatures and opacities of the different materials generates different experiences in a single space.

MARIANGEL ÁLVAREZ COGHLAN
COVADONGA HERNÁNDEZ GARCÍA

M A R Q C Ó

Marqcó se ha consolidado en el campo del interiorismo como una excelente opción para lograr un espacio ideal. Un equipo experimentado de arquitectos y diseñadores garantiza la satisfacción de los clientes a través de un trato personalizado, materializando sus sueños en soluciones comprometidas en alcanzar la perfección.

"En **Marqcó** proyectamos con ideas frescas y conceptos vigentes, proponiendo diseños innovadores que en su atemporalidad contrarrestan el paso del tiempo".

Marqcó *has emerged in the field interior design as an excellent choice for creating an ideal space. Its seasoned team of architects and designers guarantees client satisfaction through personalized service, making their dreams reality through solutions committed to attaining perfection. "At* ***Marqcó*** *we develop projects with fresh ideas and current concepts, proposing innovative designs that are timeless."*

CASA VALLESCONDIDO
México, D.F.

FOTÓGRAFO . PHOTOGRAPHER
Héctor Velasco Facio

El diseño de este espacio integra la estancia familiar y la cocina, sin embargo, cada habitación ofrece cierta intimidad gracias a la vista al exterior y la disposición del mobiliario.
Para el espacio íntimo familiar de la planta alta se seleccionaron texturas y tonos que brinden comodidad. Las recámaras, sencillas, de líneas suaves y generosas dimensiones, responden a la personalidad de quien las habita.

The design of this space integrates the family room and the kitchen, and nonetheless each of these rooms offers a certain individuality due to the view of the exterior and the furniture layout.
For the intimate family space on the upper floor, textures and tones that provide comfort were selected. The rooms, simple, with soft lines and generous dimensions, respond to the needs of the persons who live in them.

Los tonos cálidos del pergamino, el onix, la madera de tzalam y los tejidos naturales utilizados en la sala comedor, brindan gran calidez a un ambiente que invita a una grata convivencia.

Warm tones, parchment, onix, tzalam wood and natural weavings used in the dining room provide great warmth to an atmosphere that is an invitation to a pleasant gathering.

CASA LAS LOMAS
México, D.F.

FOTÓGRAFO . PHOTOGRAPHER
Héctor Velasco Facio

En el comedor, limitado por un muro artesanal de tepetate, la mesa otorga equilibrio y enriquece el espacio, mientras que las sillas, con gran movimiento y líneas modernas, dan un toque ecléctico al conjunto.

In the dining room, bordered by a handcrafted tepetate wall, the table gives balance and enriches the space, while the chairs, which have great movement and modern lines, give an eclectic touch.

Para albergar a la familia y a sus frecuentes invitados, se integraron varios espacios de recreación, consiguiendo un lugar donde se pueden disfrutar momentos muy agradables.

To accommodate the family and their constant guests, several recreational spaces were included, producing a place for enjoyable moments.

ALEJANDRO BERNARDI GALLO
BEATRIZ PESCHARD MIJARES

B + P ARQUITECTOS

Comprometidos como siempre con el principio de interpretar las necesidades de cada cliente, creando soluciones espaciales que establezcan un diálogo entre la arquitectura, la tecnología, el arte y la naturaleza, Alejandro Bernardi y Beatriz Peschard continúan con su tarea de lograr una estética clara, legible y a la vez innovadora. **B+P,** se preocupa por desarrollar proyectos integrales que incluyan las tecnologías de vanguardia y por tener siempre presente al usuario, cualquiera que sea la escala o el carácter del proyecto: diseño de mobiliario, proyectos residenciales, institucionales, culturales recreativos o corporativos.

Always committed with the principle of interpreting the needs of each client, creating spatial solutions that establish a dialogue between architecture, technology, art and nature, Alejandro Bernardi and Beatriz Peschard continue their task of crafting clear, understandable and innovative architecture. ***B+P*** *strives to develop integrated projects that include leading-edge technologies and always keep the user in mind, regardless of the scale or nature of the project: furniture design, residential, institutional, cultural, recreational or corporate projects.*

DEPARTAMENTO CIUDAD DE MÉXICO

México, D.F.

FOTÓGRAFO . PHOTOGRAPHER
Héctor Velasco Facio

Un cubo, envuelto en zebrano, actúa como núcleo del departamento. Los colores de la madera provocan una sensación de calidez y las líneas horizontales sugieren una continuidad interminable.

A cube, covered in zebrano, acts as the core of the apartment. The colors of the wood provoke a feeling of warmth, and the horizontal lines suggest endless continuity.

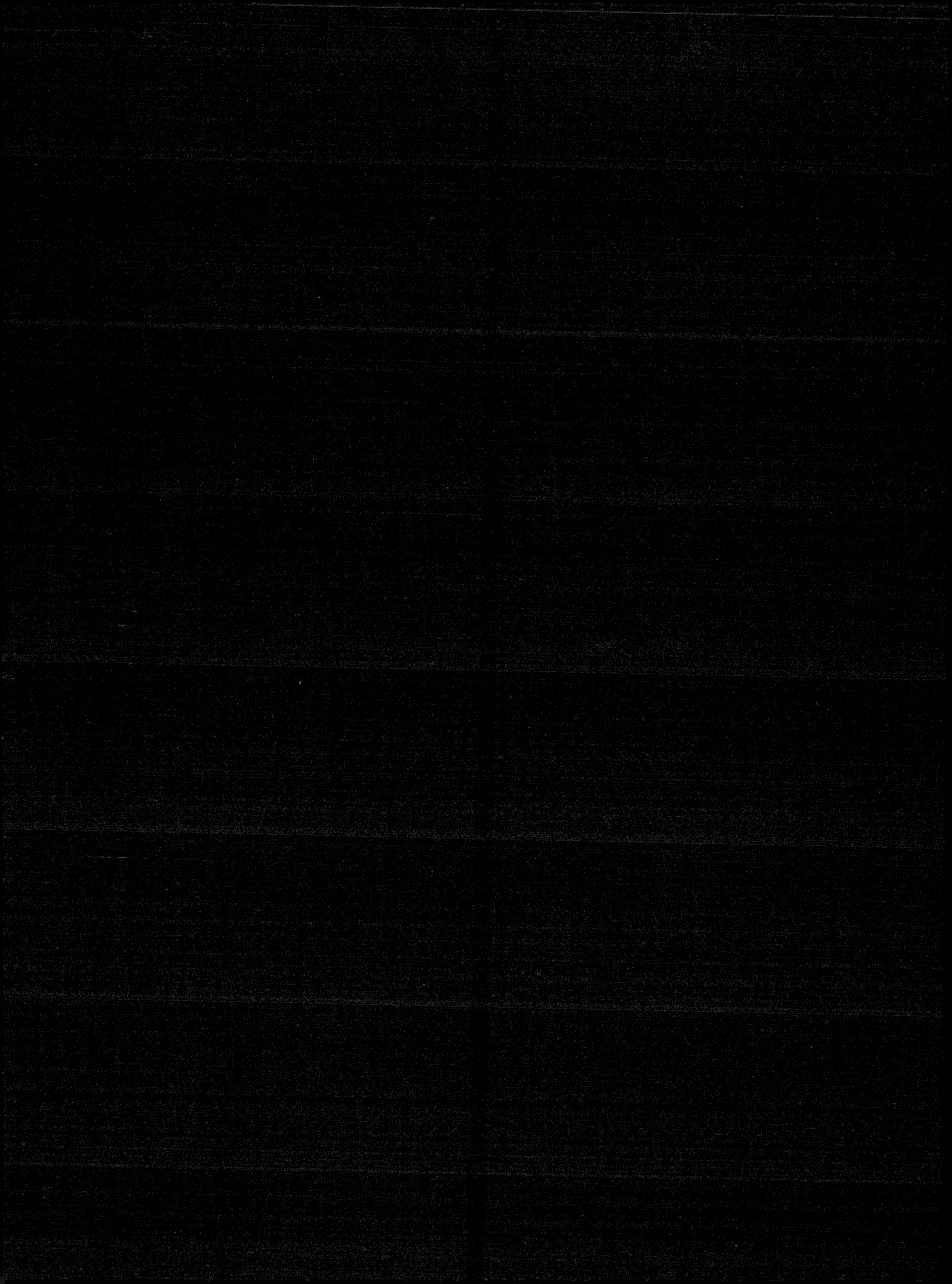

EMILIO CABRERO HIGAREDA
ANDREA CESARMAN KOLTENIUK
MARCO A. COELLO BUCK

C'CÚBICA

Marco Coello, Emilio Cabrero y Andrea Cesarman integran el despacho **C'Cúbica**, que desde sus inicios se ha preocupado por poner en práctica la estrecha relación entre la arquitectura de interiores y la creación de espacios que respondan a las fantasías del cliente. "Siempre tomando en cuenta la proporción y el contenido, en el ejercicio profesional del despacho, además del trabajo en las áreas de diseño de interiores, la arquitectura, el diseño industrial y el diseño gráfico, le hemos dado especial atención al área de decoración de interiores, donde siempre intentamos servir como traductores directos de la imaginación al espacio."

Marco Coello, Emilio Cabrero and Andrea Cesarman make up the ***C'Cúbica*** *office. Ever since they began, they have tried to put into practice the close relationship between interior architecture and creating spaces that address clients' fantasies. " Always considering proportion and content, our office, in addition to work in the areas of interior design, architecture, and industrial and graphic design, has given special attention to the area of interior decoration, where we always try to directly interpret the imagination in the space."*

CASA PUERTA DE HIERRO

México, D.F.

FOTÓGRAFO . PHOTOGRAPHER
Mauricio Avramow

En este proyecto, sobrio y acogedor, participa C'Cúbica Arquitectos, desde el análisis arquitectónico hasta la producción del mobiliario, y logra un estilo contemporáneo con espacios íntimos de gran calidez, debidos al acento de color en los muros y al uso de materiales simples y ligeros. El resultado es una funcionalidad vanguardista.

C'Cúbica Arquitectos participated in this sober and comfortable project, from architectural assessment to furniture production, achieving a contemporary style within an intimate space of great warmth, due to the accents of color on the walls and the use of simple and light materials. The result is avant-garde functionality.

DEPARTAMENTO REFORMA LAURELES
México, D.F.

FOTÓGRAFO . PHOTOGRAPHER
Mauricio Avramow

Este departamento se diseñó a partir de líneas simples y arquitectónicas, logrando un espacio ecléctico. Se percibe un toque étnico y rústico debido a los materiales que se utilizaron y al mobiliario de estilo contemporáneo y de alto diseño, exclusivamente mexicano.

This apartment was designed with simple architectural lines, creating an eclectic space. An ethnic and rustic touch is created by the materials used and its contemporary, high-design, exclusively Mexican furniture.

FERNANDO DE HARO LEBRIJA
JESÚS FERNÁNDEZ SOTO
OMAR FUENTES ELIZONDO

ABAX

En busca de complementar creativamente el diseño arquitectónico a través del diseño de interiores, **Abax** hace uso de la experiencia acumulada durante más de 20 años para brindar a los habitantes de sus ambientes la cálida vivencia de gozar su espacio.

Fernando de Haro Lebrija, Jesús Fernández Soto y Omar Fuentes Elizondo, a lo largo de su trayectoria han cultivado la filosofía de generar espacios que, además de satisfacer las necesidades del cliente y del programa arquitectónico planteado, sean obras que generen sensaciones de bienestar, ofreciendo ambientes capaces de describir por sí mismos el fin para el que fueron diseñados.

In seeking to creatively complement architectural design with interior design, **Abax** *makes use of experience accumulated over 20 years to provide occupants with the warm experience of enjoying their spaces.*

Throughout their careers, Fernando de Haro Lebrija, Jesús Fernández Soto and Omar Fuentes Elizondo have cultivated the philosophy of generating spaces that, while satisfying the client's needs and the needs of the proposed architectural program, are works that generate feelings of well-being, offering atmospheres that are capable of describing by themselves the purpose of their creation.

CASA BOSQUES DE SANTA FE I Y II

México, D.F.

FOTÓGRAFO . PHOTOGRAPHER
Héctor Velasco Facio

Luego de una incesante búsqueda entre diferentes opciones, Abax ha logrado encontrar una plena integración entre interior y exterior, donde la naturaleza se vuelve parte de la casa.

After a ceaseless search among different options, Abax has managed to find full integration between interior and exterior, where nature becomes part of the house.

FERNANDO DE HARO LEBRIJA
JESÚS FERNÁNDEZ SOTO
OMAR FUENTES ELIZONDO
GINA PARLANGE PIZARRO

ABAX / ADI

El estilo de la arquitectura de **Fernando de Haro Lebrija, Jesús Fernández Soto y Omar Fuentes Elizondo**, se une en este proyecto con la excelente diseñadora **Gina Parlange Pizarro** y el resultado es una propuesta donde resalta la calidez y la elegancia en cada espacio. Entre las premisas del proyecto, la iluminación juega un papel primordial, generando ambientes relajantes y de gran confort. De la misma manera, la armonía dentro de las habitaciones se logra con la presencia de elementos que al mismo tiempo delimitan y unifican el espacio, tales como lambrines y mamparas de madera o cristal.

The style of architecture by ***Fernando de Haro Lebrija, Jesús Fernández Soto and Omar Fuentes Elizondo*** *is merged in this project with the magnificent designer* ***Gina Parlange Pizarro*** *and the result is a concept that highlights warmth and elegance in every space.*

Among the premises of the project, lighting plays a primary role, creating soothing atmospheres of great comfort. Likewise, harmony within the rooms is achieved through elements that simultaneously delimit and tie together the space, such as wood panels and wood or glass screens.

DEPARTAMENTO BOSQUES DE SANTA FE
México, D.F.

FOTÓGRAFO . PHOTOGRAPHER
Alfonso de Bejar

El estilo contemporáneo de los interiores es apoyado por la disposición de los ventanales, que acentúan la calidez espacial y se integran de forma natural para convertirse en un elemento fundamental de la composición arquitectónica.

The contemporary style of the interior is supported by the layout of the windows, which emphasize the warmth of the space and naturally blend in to become a fundamental element of the architectural composition.

intérieurs
parisiens

FERNANDO DE HARO LEBRIJA
JESÚS FERNÁNDEZ SOTO
OMAR FUENTES ELIZONDO
ALEJANDRO BERNARDI GALLO
BEATRIZ PESCHARD MIJARES

ABAX / B + P

La conjunción de ideas que en varias ocasiones ha surgido de la colaboración entre **ABAX** y **B+P,** siempre ha dado como resultado la creación de espacios sobrios, elegantes y sumamente confortables. La atmósfera placentera que han logrado transmitir en sus espacios, ha sido consecuencia de un trabajo de diseño emprendido en estrecha correspondencia con las necesidades y los deseos de sus clientes, de una cuidadosa selección de los materiales, que armonicen con el entorno, y de un exigente proceso de selección del mobiliario, todo lo cual, en su conjunto, desemboca en excelentes proyectos arquitectónicos.

*The combination of ideas that arises from the collaboration between **ABAX** and **B+P** has always resulted in the creation of sober, elegant and extremely comfortable spaces. The pleasant atmosphere they have been able to convey in their spaces has been the result of design work that closely corresponds to the needs and desires of their clients, a careful selection of materials that harmonize with the environs, and a rigorous process for selecting furniture, all of which, combined, lead to magnificent architectural projects.*

FRANCISCO CORZAS
FRIDA KAHLO
TAMAYO
SEBASTIAN
ZARRAGA
O'GORMAN
PEDRO CORONEL
HERRAN
DESDE LA OSCURIDAD
Arquitectos Mexicanos
ROSTROS DE COLOMBIA
ARTE COLOMBIANO
Pabellones y Museos
López Baz y Calleja
Casa Poblana
Casa Mexicana
Haciendas de México
Culinaria
THE EPICUREAN
SABOR

DEPARTAMENTO LOMAS DE CHAPULTEPEC

México, D.F.

FOTÓGRAFO . PHOTOGRAPHER
Héctor Velasco Facio

El departamento tiene básicamente dos directrices: la búsqueda de la integración del jardín como un elemento envolvente de la obra arquitectónica y la permanente invitación a recorrer los espacios que surgen de los diferentes elementos del diseño interior.

The apartment has two basic guidelines: to seek the integration of the garden as an enveloping element of the architectural work, and to permanently invite visits to the spaces that are produced by the different elements of the interior design.

EZEQUIEL FARCA

DISEÑO DE MOBILIARIO

Ezequiel Farca egresado de la Universidad Iberoamericana y con estudios de posgrado en Barcelona, España, cuenta con una trayectoria de 12 años, durante la cual se ha dedicado a la innovación en el diseño de mobiliario, espacios y ambientes. Su principal propósito es la búsqueda de conceptos y soluciones, y gracias a ello ha logrado personalizar el diseño a las necesidades del cliente y ha llegado a crear el estilo único que lo caracteriza: el minimalismo cálido. Con ello ha conseguido, igualmente, que sus diseños sean atemporales y brinden armonía y comodidad a quien los habita.

Las imágenes presentadas en las páginas 92 a 97 pertenecen al proyecto Penthouse 1 realizado por el Arq. Mauricio Gómez de Tuddo.

***Ezequiel Farca,** a graduate of the Universidad Iberoamericana with master's degree in Barcelona, Spain, has 12 years of experience during which he has focused on innovation in the fields of furniture, space and atmospheric design.*

His main goal is to search for concepts and solutions, and as a result he has managed to customize his designs to meet his client's needs and has consolidated his own signature style: warm minimalism. With it, he has created timeless designs that convey harmony and comfort to their residents.

The photographs on pages 92 to 97 correspond to the Penthouse 1 project, with interior design by Arq. Mauricio Gómez de Tuddo.

PENTHOUSE 1
Acapulco, Guerrero

FOTÓGRAFO . PHOTOGRAPHER
Paul Czitrom

La arquitectura es un elemento esencial en la selección del mobiliario para este espacio de cerca de 500 m², mas terrazas en 2 niveles, cuyo interior fue diseñado por el Arq. Mauricio Gómez de Tuddo y presentado aquí en las páginas 92 a 97. Las formas geométricas y simples propician una lectura moderna del proyecto, además de que, con la unión de los ambientes interiores y exteriores, permiten que sus habitantes vivan el entorno de playa al máximo.

Architecture was an essential element in the choice of furniture for this two-level space of about 1643 sq. ft. (500m²), plus terraces' areas shown on pages 92 to 97, which interior project was created by architect Mauricio Gómez de Tuddo. Geometric and simple lines make the project modern, and the combination of interior and exterior ambiances gives its residents maximum enjoyment of the beach.

PENTHOUSE 2
Acapulco, Guerrero

FOTÓGRAFO . PHOTOGRAPHER
Paul Czitrom

El equilibrio es el principal concepto de este espacio arquitectónico. Diseño integral, donde el mobiliario, los accesorios, los acabados y la iluminación se complementan para lograr un ambiente acogedor y cálido. Funcionalidad y comodidad orientados a disfrutar el interior y exterior como un solo espacio.

Balance is the main concept in this architectural space. It is an integrated design where furniture, accessories, finishes and lighting complement each other to create a comfortable and warm space. There is functionality and comfort, oriented for the enjoyment of the interior and the exterior as a whole.

DEPARTAMENTO CIUDAD DE MÉXICO

México, D.F.

FOTÓGRAFO . PHOTOGRAPHER
Paul Czitrom

Espacios abiertos donde, con lo mínimo indispensable, hacen de la vida diaria un lugar confortable y relajado. El mobiliario ha sido seleccionado, diseñado y fabricado meticulosamente; los materiales utilizados son madera, mármol y resina. Líneas rectas que acentúan la horizontalidad de la planta arquitectónica y crean un espacio donde poder convivir, compartir, soñar y amar.

It has open spaces where, with the bare minimum, daily life becomes comfortable and relaxed. The furniture has been carefully selected, designed and crafted; the materials used are wood, marble and resin. Straight lines emphasize the horizon and create a space for mingling, sharing, dreaming and love.

CASE STUDY
HOUSES

PATRICIO GARCÍA MURIEL
FERNANDO ABOGADO ALONSO

GRUPO AGM

Patricio García Muriel y Fernando Abogado, fundan **Grupo AGM** en enero del 2004. Además de residencias y edificios en el D.F. y en la costa del Pacífico, han diseñado y construido más de 80 departamentos, restaurantes, locales comerciales y centros de entretenimiento en diferentes puntos de México. "En cada proyecto -dicen- entendemos las necesidades de nuestros clientes como premisa principal para interpretarlas en espacios humanos, funcionales, armoniosos, sobrios y eficientes. Tomamos en cuenta los materiales y acabados más apropiados para cada sitio, el aprovechamiento y diseño de la iluminación y el uso de tecnología de punta tanto en la construcción como en sus instalaciones. Nuestros interiores pretenden mantener su permanencia en el tiempo y se homologan con la arquitectura del espacio hasta el último detalle".

Patricio García Muriel and Fernando Abogado founded ***Grupo AGM*** *in January, 2004. Besides residences and builldings in Mexico City and on the Pacific coast, they have designed and built more than 80 apartments, restaurants, commercial premises and entertainment centers in different locations in Mexico.*

"In each project, -they say- we understand our client's needs as the main premise for interpreting them as humane, functional, harmonious, sober and efficient spaces. We take into account the most suitable materials and finishes for each site, as well as the design of lighting and the use of state-of-the-art technology both for the building and its site. Our interiors are intended to be timeless and they blend with the architecture of the space to the very last detail."

DEPARTAMENTO ALCÁZAR DE TOLEDO
México, D.F.

FOTÓGRAFO . PHOTOGRAPHER
Paul Czitrom

La acertada combinación de materiales y texturas, tanto en los muros como en los pisos, junto con una solución arquitectónica simple y contemporánea, proporcionan una mejor iluminación dando una sensación de amplitud en los espacios de este departamento.

The proper combination of materials and textures, both on walls and floors, together with a simple and contemporary architectural solution, provide better lighting, conveying the feeling of space in this apartment.

DEPARTAMENTO CLUB DE GOLF BOSQUES
México, D.F.

FOTÓGRAFO . PHOTOGRAPHER
Paul Czitrom

El estilo, los materiales y la iluminación utilizados concuerdan e incluso resaltan la importante colección de muebles y de arte contemporáneo mexicano en este departamento. Los remates visuales, las formas simples y las texturas cálidas crean un conjunto acogedor y elegante muy de acuerdo con las necesidades del cliente.

The style, materials and light that are used match and bring out the remarkable furniture and Mexican contemporary art collection in this apartment. Visual touches, simple shapes and warm textures create an intimate and elegant setting, very much in tune with the needs of the client.

D A V I D   G O N Z Á L E Z   B L A N C O

B C O

BCO es un despacho fundado en el 2000 por David González Blanco y está dedicado al individuo. Por medio de la limpieza de cada trazo y el equilibrio de los opuestos, el proyecto se despoja de elementos innecesarios, iluminando al máximo al protagonista individual de su espacio.

Una mezcla de elementos naturales y texturas dan forma a espacios que logran un balance entre el mobiliario y el arte, donde la arquitectura es a la vez la fotografía del individuo que la habita y el marco de los objetos que le pertenecen. Cada individuo original y único, se ve reflejado en su propio espacio, que no es sólo una extensión material de su ser, sino el umbral de su espiritualidad.

***BCO** is a firm founded in 2000 by David González Blanco, and it is dedicated to the individual. Through the accuracy of each stroke and the balance of opposites, the project rids itself of unnecessary elements, giving maximum illumination to the individual protagonist of the space.*

A blend of natural elements and textures shape spaces that achieve a balance between furniture and art, where architecture is both a photograph of the resident and the frame of his possessions. Each original and unique individual is reflected in his own space, which is not only a material extension of the self, but the gateway of his spirituality.

YOGA LOFT
México, D.F.

FOTÓGRAFO . PHOTOGRAPHER
Pedro Luján

El concepto surge por la influencia de la yoga en tanto ésta es una búsqueda interior que sirve para despojar y crear espacios sólo con lo básico, donde las personas que los habitan se vean y acepten tal y como son.

The concept arises from the influence of yoga as an interior search that allows for stripping down and creating spaces with the basics, where the residents see and accept themselves as they are.

AVELINO GONZÁLEZ ESPINOZA
BLANCA GONZÁLEZ DE OLAVARRIETA
MARIBEL GONZÁLEZ DE DANEL
MELY GONZÁLEZ DE FURBER

COVILHA

Desde sus inicios, la firma **Covilha** se ha caracterizado por su capacidad para emprender el desarrollo de grandes proyectos que van desde el concepto arquitectónico de los espacios hasta el último detalle de los acabados para habitar un hogar con buen gusto. Su trabajo profesional se distingue por el deseo de innovar y de proponer materiales y diseños de vanguardia, así como por el compromiso de complacer prácticamente todas las necesidades y aspiraciones de sus clientes.

*Since its start, the **Covilha** firm has been characterized by its ability to develop large-scale projects, from the architectural conception of spaces to the very last detail of tasteful home living. Its professional work is distinguished by the desire to innovate and propose avant-garde materials and design, as well as for the commitment to fulfill virtually every client need and aspiration.*

CASA DEL CARMEN

México, D.F.

FOTÓGRAFO . PHOTOGRAPHER

Héctor Velasco Facio

Los espacios son cálidos, sobrios y elegantes, con un equilibrio entre diferentes colores y materiales, amalgamados en un concepto contemporáneo y acogedor.

The spaces are warm, sober and elegant, with a balance between different colors and materials, woven in a contemporary and intimate concept.

CASA JARDINES DEL PEDREGAL
México, D.F.

FOTÓGRAFO . PHOTOGRAPHER
Héctor Velasco Facio

Las líneas, de una elegante simpleza, responden a la tónica definida por el proyecto arquitectónico y permiten crear ambientes de gran calidez en un diseño totalmente vanguardista.

Lines with elegant simplicity respond to the tone set by the architectural project and allow for creating spaces with great warmth in a completely avant-garde design.

MARCO POLO HERNÁNDEZ
LEONOR MASTRETTA REAL

MEMORIA CASTIZA

Memoria Castiza es una empresa especialmente apreciada por la exquisitez de sus creaciones de muebles sobre diseño. Actualmente cuenta con salas de exhibición en Puebla, México y Guadalajara, donde se pueden contemplar las materias naturales, la fluidez de las formas y la precisión de los ensamblados y acabados de las innumerables piezas que a lo largo de sus nueve años de vida ha creado. Ligera, sensual, envolvente, la colección **Memoria** es el deseo satisfecho.

__Memoria Castiza__ is a company specially known for the refinement of its custom made furniture creations over design. Currently, it has showrooms in Puebla, Mexico and Guadalajara, where one can appreciate the natural materials, flowing shapes and precision of the assembly and finishes of the countless pieces it has created throughout its nine years of existence. Light, sensual, enveloping, the __Memoria__ collection is desire fulfilled.

CASA CLUB CAMPESTRE
Puebla, Puebla

FOTÓGRAFO . PHOTOGRAPHER
Rolando White

El mobiliario diseñado por Memoria, de acuerdo con las necesidades de los habitantes, logra una relación entre el espacio y las tareas para las que ha sido destinado, creando espacios de gran riqueza estética y funcional.

The furniture designed by Memoria, in accordance with the needs of the user, achieves a relationship between space and the tasks for which it is intended, creating spaces with a rich aesthetic and functional value.

Memoria ofrece todo lo necesario para definir y configurar los espacios de acuerdo con el estilo de vida de cada quien.

Memoria offers everything needed for defining and configuring spaces according to each person's lifestyle.

MÓNICA HERNÁNDEZ SADURNI

ECLÉCTICA DISEÑO

Para los diseñadores de interiores, la búsqueda de espacios funcionales, tranquilos y estéticos es evidentemente una tarea esencial. **Mónica Hernández Sadurní** lo sabe; y está consciente también de que para lograr esos entornos se requiere de imaginación, audacia, buen gusto y talento. Pero existe otro elemento de igual o mayor importancia para Mónica y es lograr que la ambientación de una casa transite del día a la noche a fin de lograr, en horas específicas, un estado de ánimo acorde con el de sus moradores.

For interior designers, the search for functional, calm and aesthetic spaces is clearly an essential task. ***Mónica Hernández Sadurní*** *knows that achieving such atmospheres requires imagination, boldness, good taste and talent. But there is another element that is just as important for Mónica, if not more so, which is creating an atmosphere of a house that passes from day to night and takes on, at all times, the mood of its residents.*

CASA LOS CELAJES
Acapulco, Guerrero

FOTÓGRAFO . PHOTOGRAPHER
Alfonso de Béjar

La mezcla de materiales naturales en tonos neutros y los diseños contemporáneos que caracterizan a Ecléctica Diseño, dan como resultado un ambiente cálido, acogedor, fresco, tranquilo, sobrio y funcional.

The combination of natural materials in neutral tones and contemporary design that are characteristic of Eclectica Diseño produce a warm, comfortable, fresh, sober and functional ambiance.

ALFONSO LÓPEZ BAZ
JAVIER CALLEJA A.
EDUARDO HERNÁNDEZ

GRUPO LBC / CHK ARQUITECTOS

Alfonso López Baz y Javier Calleja trabajan juntos desde 1971 como López Baz y Calleja y a partir de 1987 forman **Grupo LBC Arquitectos.** Ambos son originarios de la ciudad de México, y egresados de la UNAM. Han sido catedráticos e impartido conferencias en diferentes universidades y cuentan con numerosas exposiciones y reconocimientos en el ámbito nacional e internacional. Han diseñado obras para distintos propósitos, el habitacional, el de oficinas, la cultura y la recreación y la arquitectura de interiores; para ello han conjuntado grupos interdisciplinarios de especialistas en campos como el diseño industrial, el de mobiliario, la metal-mecánica, la iluminación y la acústica.

Alfonso López Baz and Javier Calleja have worked together since 1971, first as López Baz y Calleja, and from 1987 to present as ***Grupo LBC Arquitectos.*** *Natives of Mexico City and graduates of the UNAM, both are excellent lecturers, have given conferences at different universities, had their work exhibited at numerous expositions, and been acknowledged with various domestic and international awards. Their project portfolio ranges from high-end homes to offices, cultural and recreational spaces, and interiors. Their success in each area has in part been the result of their talent in bringing together multi-disciplinary groups specializing in fields such as industrial design, furniture design, metal mechanics, lighting and acoustics.*

DEPARTAMENTO SOBRE EL BOSQUE II
México, D.F.

FOTÓGRAFO . PHOTOGRAPHER
Sebastián Saldívar

Un apartamento independiente, en el piso superior, se proyecta con absoluta autonomía cromática y espacial. Es un espacio fluido de pesos blancos y muebles negros, compartiendo a través de las paredes transparentes, con el fondo de la ciudad a sus pies

An independent apartment on the upper floor is projected with absolute chromatic and spatial autonomy. It is a flowing space full of white elements and black furniture, sharing through transparent walls, with the background of the city at its feet.

Un vestíbulo de doble altura, con una escalera cruzada, conecta visual y físicamente los dos niveles del departamento. La cálida y clara gama cromática de los materiales y las exquisitas obras de arte fungen como tejido conectivo de toda la vivienda.

An independent apartment on the upper floor is projected with absolute chromatic and spatial autonomy. It is a flowing space full of white elements and black furniture, sharing through transparent walls, with the background of the city at its feet.

JUAN SALVADOR MARTÍNEZ
LUIS MARTÍN SORDO C.

MARTÍNEZ - SORDO

Con 16 años de experiencia en el diseño de interiores, Juan Salvador Martínez y Luis Martín Sordo C., dan vida a sus espacios con un equilibrio entre estética y funcionalidad. El estilo depende de la personalidad de cada cliente, pero siempre en busca de armonía y comodidad. Su objetivo es que los lugares que crean obtengan un gusto muy internacional, con materias primas naturales en la decoración y en la construcción.

El despacho **Martínez-Sordo** cuenta con un equipo de especialistas en arquitectura, interiorismo, decoración y diseño arquitectónico comprometidos con la búsqueda de la satisfacción de sus clientes.

With 16 years of experience designing interiors, Juan Salvador Martínez and Luis Martin Sordo C. impart life to their spaces by balancing beauty and function. While the style of each project is largely influenced by the client's personality, what ultimately guides each decision is the pursuit of comfort and harmony. Their objective is to create very "international" spaces by using a wide range of natural materials for decoration and construction.

The ***Martínez-Sordo*** *design firm is made up of a team of specialists in architecture, interiors, decoration and spatial design committed to the customer's satisfaction.*

CASA PEÑAS

México, D.F.

FOTÓGRAFO . PHOTOGRAPHER
Carlos Madrid

La atmósfera de la casa es muy acogedora y el contacto visual con el entorno le da un ambiente relajado que se enriquece con la madera oscura y los acentos orientales de los muebles, así como una acertada selección de objetos decorativos.

The atmosphere of the house is quite comfortable, and the visual contact with the environs grants it a relaxed air that is enhanced with dark wood and the oriental accents of the furniture, as well as an ideal selection of decorative objects.

CASA LLUVIA
México, D.F.

FOTÓGRAFO . PHOTOGRAPHER
Héctor Velasco Facio

El salón familiar, con acentos africanos, muebles confeccionados en seda, cojines con diseños de pieles de animales, se amplía hacia la terraza a través de los grandes ventanales. Los nichos, con fondo de material translúcido, juegan con las diferentes tonalidades de la luz y ofrecen un marco inigualable a las piezas de ébano africanas.

The family room, with African accents, silk-covered furniture and animal-skin cushions, flows into the terrace by way of the large windows. The niches, with a translucent background, play with the different tones of light and offer a matchless frame for pieces of African ebony.

O L G A   M U S S A L I   H .
S A R A   M I Z R A H I   E .

C - C H I C

C-chic es una empresa fundada por Sara Mizrahi y Olga Mussali, dos jóvenes mexicanas que logran transformar un espacio en proyectos innovadores, vanguardistas y de diseño. Dedicadas al interiorismo, crean un ambiente armónico, desde la propuesta arquitectónica, pasando por la elaboración de cada elemento, hasta el detalle perfecto, logrando un equilibrio y un balance entre el funcionalismo y la estética.

"Una vez que conozcan a **C-chic** se darán cuenta del resultado que es salirse de lo ordinario, dando importancia a los detalles personales, lo cual transforma una habitación simple en un lugar con personalidad propia".

***C-chic** is an interior design firm started by Sara Mizrahi and Olga Mussali, two young Mexicans who transform spaces into innovative, contemporary statements. Mizrahi and Mussali use their extensive background in interior design to create harmonious environments, from the architectural concept to the elaboration of each element, right down to the smallest perfect detail, thus achieving a balance between beauty and function. Once you get to know **C-chic**, you will see what it means to think outside the box, focusing on the personal details to transform a simple room into a place with its own unique personality.*

DEPARTAMENTO AZUL
Acapulco, Guerrero

FOTÓGRAFO . PHOTOGRAPHER
Maayan Jinich

Este proyecto logra una armónica composición en la que se manifiesta un estilo moderno, vanguardista y propio. La colocación estratégica de cada uno de los elementos hace que se vea perfectamente bien logrado.

This project achieves a harmonious composition with a modern, avant-garde style and its own identity. The strategic placement of each element makes it look well thought out.

DEPARTAMENTO ROJO
Acapulco, Guerrero

FOTÓGRAFO . PHOTOGRAPHER
Maayan Jinich

La fusión de un estilo moderno y una inquietante atmósfera de tendencia tropical, da como resultado un diseño único, limpio y acogedor en el que cada rincón armoniza con sus habitantes.

The fusion of a modern style and an unsettling atmosphere with a tropical tone produces a unique, clean and welcoming design, in which every corner harmonizes with its residents.

DAVID PENJOS SMEKE

INTER-ARQ

Inter-Arq (Penjos Arquitectos) es una firma de jóvenes profesionales dedicados al diseño arquitectónico y de interiores, fundada por David Penjos Smeke. Ahí se realiza el proyecto, desarrollo, ejecución y supervisión de obras de interiorismo, tales como departamentos, casas habitación, oficinas y locales comerciales, en los que muestra la diversidad en el manejo de los espacios, integrando funcionalidad, belleza y sencillez.

Desde sus inicios, han buscado, en conjunto con los clientes, cumplir con las necesidades que cada uno requiere, pero siempre a la vanguardia en el diseño, técnicas y materiales, logrando que el color, la luz y las texturas formen una diversidad de espacios contemporáneos.

Inter-Arq (Penjos Arquitectos) *is practice of young professionals devoted to architectural and interior design, founded by David Penjos Smeke. There, the projection, development, execution and supervision of interior design works such as apartments, residences, offices and commercial premises takes place, places he shows, diversity in the management of the spaces, integrating functionality, beauty and simplicity.*

From the beginning, they have sought, together with the clients, to meet each of their needs, always using avant-garde design, techniques and materials, enabling color, light and textures to form a variety of contemporary spaces.

CENTURY

DEPARTAMENTO REFORMA LAURELES
México, D.F.

FOTÓGRAFO . PHOTOGRAPHER
Maayan Jinich

Para aprovechar al máximo la orientación de este departamento, que cuenta con extraordinarias vistas, se otorgó mayor amplitud a los espacios comunes mediante el uso moderado de muros y con ventanas de piso a techo. Las puertas corredizas juegan un papel importante en el diseño.

To make the most of this apartment's orientation, with its breathtaking views, more space was given to the common areas, by way of a moderate use of walls. Sliding doors play an important role in the design, as they link and separate the spaces.

TORRE BOSQUES

México, D.F.

FOTÓGRAFO . PHOTOGRAPHER
Maayan Jinich

La palma roberina utilizada en la doble altura, otorga calidez al espacio. Las tonalidades en tonos beige, donde predominan el mármol y la madera en tonos más oscuros, dan carácter al departamento, mientras que la iluminación, con sus numerosas opciones, crea ambientes muy distintos de acuerdo con la intensidad y el tipo de luces que se utilicen.

The roberina palm used in the double height gives warmth to the space. The beige tones, where marble and wood in darker tones predominate, give character to the apartment, while lighting, with its many options, creates very different atmospheres based on the intensity and the type of fixtures used.

JAVIER VALENZUELA GOROZPE
FERNANDO VALENZUELA GOROZPE
GUILLERMO VALENZUELA GOROZPE
FRANCISCO GUZMÁN GIRAUD

TERRÉS / ARTECK

Con la inquietud de satisfacer las necesidades de cada consumidor para amueblar espacios de acuerdo con determinadas especificaciones, los hermanos Valenzuela fundan **Terrés Muebles & Interiores** en 1991. A partir de entonces, de manera conjunta, han buscado y propuesto formas, antiguas o nuevas, de concebir la creación de espacios, con la única finalidad de responder a las exigencias del cliente. El resultado ha sido un trabajo versátil, con una gran diversidad de estilos, en el que cada proyecto que emprenden es único, porque su propósito es interpretar las aspiraciones y los sueños de cada cliente para traducirlos en muebles de la más alta calidad o en soluciones eficientes y creativas de donde pueden surgir lo mismo un clásico que un vanguardista.

Driven by the desire to meet every consumer's needs and specifications in interior design and furnishings, the Valenzuela brothers created ***Terrés Muebles & Interiores*** *in 1991. Since then, they have constantly pursued new and old solutions for creating spaces that fully respond to their client's demands. The result has been a portfolio of versatile styles that reflect the firm's philosophy that each project is as unique as the hopes and dreams of each customer, and that translating those wishes into the highest quality furniture -be it a signature classic or vanguard solution- is the ultimate goal.*

CASA LOMAS DE SANTA FE

México, D.F.

FOTÓGRAFO . PHOTOGRAPHER
Ricardo Kischner

Se crearon espacios confortables, al integrar una serie de elementos que van de la mano con las tendencias y la personalidad de quienes los disfrutan, haciendo de cada proyecto una creación única basada en lo funcional, equilibrando la creatividad y la versatilidad en el diseño.

Comfortable spaces were created by integrating a series of elements that go hand in-hand with the tendencies and the personality of the occupants, making each project a unique creation based on functionality, balancing creativity and versatility in the design.

CASA BEZARES
México, D.F.

FOTÓGRAFO . PHOTOGRAPHER
Héctor Velasco Facio

El estudio detallado de la arquitectura de Francisco Guzmán Giraud, en conjunto con la integración de los muebles contemporáneos, transmite un estilo de vida que se define con armonía.

A thorough study of Francisco Guzmán Chiraud's architecture, which includes contemporary furniture, conveys a lifestyle that defines harmony.

DIRECTORIO

DIRECTORY

ANGEL ALONSO CHEIN
EDUARDO GUTIÉRREZ GUZMÁN

Monclova 2-14
Col. Roma,
México, D.F. 06760
tel. 5584 5755 / 5264 6796
darqs@prodigy.net.mx
www.gutierrez-alonso.com

MARIANGEL ÁLVAREZ C.
COVADONGA HERNÁNDEZ G.

Prado Sur 130
Col. Lomas de Chapultepec,
tel. 5520 1293 / 5520 9560
covadonga@marqco.com

Revolución 1495, San Ángel
tel. 5661 9385 / 5662 9789
mariangel@marqco.com
www.marqco.com

ALEJANDRO BERNARDI GALLO
BEATRIZ PESCHARD MIJARES

Prado Sur 230
Col. Lomas de Chapultepec,
México D.F. 11000
tel. 5202 3700
bernardi@a5arquitectura.com

GUTIÉRREZ Y ALONSO ARQUITECTOS

MARQCÓ

B+P ARQUITECTOS

FERNANDO DE HARO LEBRIJA
JESÚS FERNÁNDEZ SOTO
OMAR FUENTES ELIZONDO

Paseo de Tamarindos 400 B-102,
Col. Bosques de las Lomas,
México, D.F. 05120
tel. 5258 0558
fax. 5258 0556
abax@abax.com.mx
www.abax.com.mx

FERNANDO DE HARO LEBRIJA
JESÚS FERNÁNDEZ SOTO
OMAR FUENTES ELIZONDO
ALEJANDRO BERNARDI GALLO
BEATRIZ PESCHARD MIJARES

ABAX
tel. 5258 0558
abax@abax.com.mx

B+P
tel. 5202 3700
bernardi@a5arquitectura.com
bp.abg@igo.com.mx

FERNANDO DE HARO LEBRIJA
JESÚS FERNÁNDEZ SOTO
OMAR FUENTES ELIZONDO
GINA PARLANGE PIZARRO

ABAX
tel. 5258 0558
abax@abax.com.mx

ADI
tel. 5520 9920
gparlange@mac.com
www.adi-sa.com.mx

EMILIO CABRERO HIGAREDA
ANDREA CESARMAN K.
MARCO A. COELLO BUCK

tel. 5259 3216
ecabrero@ccubicaarquitectos.com
acesarman@ccubicaarquitectos.com
mcoello@ccubicaarquitectos.com
www.ccubicaarquitectos.com.mx

ABAX

ABAX / B+P ARQUITECTOS

ABAX / ADI

C'CÚB CA

EZEQUIEL FARCA

Campos Elíseos 158,
Col. Polanco,
México, D.F. 11560
tel. 5254 1625
fax. 5255 3688
info@ezequielfarca.com
www.ezequielfarca.com

PATRICIO GARCÍA MURIEL
FERNANDO ABOGADO ALONSO

Sierra Guadarrama 66 PB
Col. Lomas Barrilaco,
México, D.F. 11010
tel. 5520 5782 / 5520 8146
fax. 5540 6896
pgarciam@abogadogarcia.com

DAVID GONZÁLEZ BLANCO

1er. Ret. de Plan de Barrancas 3
Col. Lomas Altas,
México, D.F. 11950
tel. 5251 1062
www.bco.com.mx

AVELINO GÓNZALEZ ESPINOZA
MARIBEL GÓNZALEZ DE DANEL
BLANCA GONZÁLEZ DE O.
MELY GONZÁLEZ DE FURBER

Av. San Jerónimo 397-B
Col. La Otra Banda,
México, D.F. 01090
tel. 5616 2500
fax. 5616 4601
covilha@igo.com.mx

DISEÑO DE MOBILIARIO

GRUPO AGM

BCO ARQUITECTOS

COVILHA

MARCO POLO HERNÁNDEZ
LEONOR MASTRETTA REAL

41 Poniente 2120 - C
Col. Ex Hacienda la Noria,
Puebla, Pue. 72410
tel. (222) 211 0950 / 240 4039
info@memoria.bz
www.memoria.bz

MÓNICA HERNÁNDEZ SADURNÍ

Cda. de Monte Líbano 16-B
Col. Lomas de Chapultepec,
México, D.F. 11000
tel. 5635 3442 / 5635 3403
fax. 5635 3417
eclectica@prodigy.net.mx
www.eclectica-sa.com

ALFONSO LÓPEZ BAZ
JAVIER CALLEJA J.
EDUARDO HERNÁNDEZ

Sur 128 / 143, Local 2,
Col. Cove Tacubaya,
México, D.F. 01120
tel. 5515 5159 / 5271 5176
fax. 5271 4254
lbcarqs@prodigy.net.mx

JUAN SALVADOR MARTÍNEZ
LUIS MARTÍN SORDO C.

México, D.F.
tel. 5568 8142 / 5568 8150
contact@martinez-sordo.com
www.martinez-sordo.com

MEMORIA CASTIZA

ECLECTICA DISEÑO

GRUPO LBC / CHK ARQUITECTOS

MARTÍNEZ - SORDO

OLGA MUSSALI H.
SARA MIZRAHI E.

Iturrigaray 160,
Col. Lomas de Virreyes,
México, D.F. 11000,
tel. 5202 1020 / 5202 1021
fax. 5202 2931
cchic@prodigy.net.mx
cchic@hotmail.com

DAVID PENJOS SMEKE

Bosques de Ciruelos 194, 1er. Piso
Col. Bosques de la Lomas,
México, D.F. 11700
tel. 5596 4293 / 5245 0471
grupointerarq@prodigy.net.mx
www.interarq.com.mx

JAVIER VALENZUELA G.
FERNANDO VALENZUELA G.
GUILLERMO VALENZUELA G.

Av. Vasco de Quiroga 3800 - 529
Centro Comercial Santa Fe,
México, D.F. 05109
tel. 5570 3655 / 5261 1004
www.terres.com.mx

C-CHIC

INTERARQ

TERRÉS

C O L A B O R A D O R E S

C O L L A B O R A T O R S

ANGEL ALONSO CHEIN Y EDUARDO GUTIÉRREZ GUZMÁN, Departamento Lomas Country Club PROYECTO DE DISEÑO DE INTERIORES Y ARQUITECTÓNICO: Gutiérrez y Alonso Arquitectos, COLABORADORES: Arq. Cristina Terán, Arq. Sergio Martínez, Arq. Sergio Valdés y Arq. Bert Glauner. Departamento Club de Golf Bosques, PROYECTO DE DISEÑO DE INTERIORES Y ARQUITECTÓNICO: Gutiérrez y Alonso Arquitectos, COLABORADORES: Arq. Arturo Gasça y Arq. Bert Glauner. **MARIANGEL ÁLVAREZ COGHLAN Y COVADONGA HERNÁNDEZ GARCÍA,** Casa Vallescondido, PROYECTO DE DISEÑO DE INTERIORES: Marqcó, PROYECTO ARQUITECTÓNICO: Ing. Hugo Fragoso Fesh. Casa Las Lomas, PROYECTO DE DISEÑO DE INTERIORES. Marqcó, PROYECTO ARQUITECTÓNICO: Arq. Alex Carranza y Arq. Gerardo Ruiz Díaz. **ALEJANDRO BERNARDI GALLO Y BEATRIZ PESCHARD MIJARES,** Departamento Ciudad de México, PROYECTO DE DISEÑO DE INTERIORES Y ARQUITECTÓNICO: B+P Arquitectos. **EMILIO CABRERO H., ANDREA CESARMAN K. Y MARCO ANTONIO COELLO B.,** Casa Puerta de Hierro y Departamento Reforma Laureles, PROYECTO DE DISEÑO DE INTERIORES Y ARQUITECTÓNICO: C'Cúbica. **FERNANDO DE HARO LEBRIJA, JESÚS FERNÁNDEZ SOTO Y OMAR FUENTES ELIZONDO,** Casa Bosques de Santa Fe I y II, PROYECTO DE DISEÑO DE INTERIORES Y ARQUITECTÓNICO: Abax Arquitectos, Arq. Fernando de Haro L., Arq. Jesús Fernández S. y Arq. Omar Fuentes E., COLABORADORES: D.I. Alejandra Zavala. **FERNANDO DE HARO LEBRIJA, JESÚS FERNÁNDEZ SOTO Y OMAR FUENTES ELIZONDO, ALEJANDRO BERNARDI GALLO Y BEATRIZ PESCHARD MIJARES,** Departamento Lomas de Chapultepec, PROYECTO DE DISEÑO DE INTERIORES Y ARQUITECTÓNICO: Abax Arquitectos, Arq. Fernando de Haro L., Arq. Jesús Fernández S. y Arq. Omar Fuentes E., B+P Arquitectos, Arq. Alejandro Bernardi Gallo y Arq. Beatriz Peschard Mijares. **FERNANDO DE HARO LEBRIJA, JESÚS FERNÁNDEZ SOTO, OMAR FUENTES ELIZONDO Y GINA PARLANGE PIZARRO,** Departamento Bosques de Santa Fe, PROYECTO DE DISEÑO DE INTERIORES Y ARQUITECTÓNICO: Abax Arquitectos, Arq. Fernando de Haro L., Arq. Jesús Fernández S. y Arq. Omar Fuentes E., PROYECTO DE DISEÑO DE INTERIORES Y DECORACIÓN: ADI, Gina Parlange Pizarro, COLABORADORES: Alba Guerra y Gabriela Kramer. **EZEQUIEL FARCA,** Penthouse 1, PROYECTO DE DISEÑO DE INTERIORES: Arq. Mauricio Gómez de Tuddo, PROYECTO ARQUITECTÓNICO: GFA, GF+G, HOK, DISEÑO DE MOBILIARIO: Ezequiel Farca, Arq. Mauricio Gómez de Tuddo, COLABORADORES: Liliana Ramírez y, Marisa Huerta. Penthouse 2, PROYECTO DE DISEÑO DE INTERIORES: Ezequiel Farca, PROYECTO ARQUITECTÓNICO: GFA, GF+G, HOK, COLABORADORA: Marisa Huerta. Departamento Ciudad de México, PROYECTO DE DISEÑO DE INTERIORES: Ezequiel Farca, PROYECTO ARQUITECTÓNICO: Becker Arquitectos COLABORADORES: Mónica Calderón, Liliana Ramírez y Marisa Huerta. **AVELINO GONZÁLEZ E., MARIBEL GONZÁLEZ DE DANEL, BLANCA GONZÁLEZ DE O. Y MELY GONZÁLEZ DE F.,** Casa del Carmen y Casa Jardines del Pedregal, PROYECTO DE DISEÑO DE INTERIORES: Covilha. **PATRICIO GARCÍA MURIEL Y FERNANDO ABOGADO ALONSO,** Departamento Alcázar de Toledo y Departamento Club de Golf Bosques, PROYECTO DE DISEÑO DE INTERIORES Y ARQUITECTÓNICO: Grupo AGM. **DAVID GONZÁLEZ BLANCO,** Yoga Loft, PROYECTO DE DISEÑO DE INTERIORES Y ARQUITECTÓNICO: BCO Arquitectos. **MARCO POLO HERNÁNDEZ Y LEONOR MASTRETTA,** Casa Club Campestre, PROYECTO DE DISEÑO DE INTERIORES: Memoria Castiza, PROYECTO ARQUITECTÓNICO: Arq. Marco Polo Hernández y Arq. Carolina Cantero. **MÓNICA HERNÁNDEZ SADURNÍ,** Casa los Celajes, PROYECTO DE DISEÑO DE INTERIORES: Eclectica Diseño, PROYECTO DE REMODELACIÓN: Mónica Hernández Sadurni. **ALFONSO LÓPEZ BAZ, JAVIER CALLEJA A. Y EDUARDO HERNÁNDEZ,** Departamento sobre el Bosque II, PROYECTO DE DISEÑO DE INTERIORES Y ARQUITECTÓNICO: Grupo LBC+CHK Arquitectos, COLABORADORES: Simón Hamui, Carlos Majluf, Juan Carlos Calanchini, José Manuel López Vázquez y Raúl Pulido. **JUAN SALVADOR MARTÍNEZ Y LUIS MARTÍN SORDO,** Casa Peñas, PROYECTO DE DISEÑO DE INTERIORES: Martínez-Sordo, PROYECTO ARQUITECTÓNICO: Arq. Luis Martín Sordo., Arq. Juan Salvador Martínez y Arq. Fernando Arispe. Casa Lluvia, PROYECTO DE DISEÑO DE INTERIORES. Martínez-Sordo, PROYECTO ARQUITECTÓNICO: Arq. Avelino González. **DAVID PENJOS SMEKE,** Departamento Reforma Laureles y Departamento Torre Bosques, PROYECTO DE DISEÑO DE INTERIORES Y ARQUITECTÓNICO: Inter-arq, COLABORADORES: Arq. Nicolas Sánchez S., Arq. Perla Bitchatchi de Atri, Arq. Silvia Doporto S. y Arq. Alberto Pérez P. **OLGA MUSSALI H. Y SARA MIZRAHI E.,** Departamento Azul, PROYECTO DE DISEÑO DE INTERIORES: C-Chic, PROYECTO ARQUITECTÓNICO: Arq. Ricardo Sanz Crespo. Departamento Rojo, PROYECTO DE DISEÑO DE INTERIORES: C-Chic, PROYECTO ARQUITECTÓNICO: Arq. David Cherem. **JAVIER VALENZUELA G., FERNANDO VALENZUELA G.,GUILLERMO VALENZUELA G. Y FRANCISCO GUZMÁN GIRAUD,** Casa Lomas de Santa. Fe, PROYECTO DE DISEÑO DE INTERIORES: Terrés, PROYECTO ARQUITECTÓNICO: Arq. Juan Carlos Olavarri. Casa Bezares, PROYECTO DE DISEÑO DE INTERIORES: Terrés, PROYECTO ARQUITECTÓNICO: Arq. Francisco Guzmán Giraud.

Esta 2da. edición se terminó de imprimir en el mes de diciembre del 2005 en Hong Kong. El cuidado de edición estuvo a cargo de AM Editores S.A. de C.V.